Éditions

Qu'est-ce qu'il m'arrive ?

Susan Meredith

Maquette et illustrations : Nancy Leschnikoff

Rédaction : Jane Chisholm

Experts-conseil : Jeremy Kirk,
Michael J. Reiss et Katie Kirk

Pour l'édition française :
Traduction : Claire Lefebvre
Rédaction : Renée Chaspoul et Nick Stellmacher

Sommaire

La puberté

Depuis ta naissance, tu n'as pas arrêté de grandir, mais, à partir d'un certain âge tu vas te mettre à changer rapidement. Tu étais une enfant et tu vas te transformer en adulte. Ce livre t'explique comment cela se passe.

Il se peut que tu aies déjà remarqué certains changements en toi ; ou peut-être qu'aucun ne s'est encore produit. Ils ne surviennent pas à un âge précis, et il est impossible de prévoir quand ils t'arriveront. Toutefois, après avoir lu les quelques pages suivantes, tu auras une meilleure idée de ce à quoi t'attendre, et quand.

Que tu sois impatiente de grandir ou que tu l'appréhendes, ne t'inquiète pas, ces changements se dérouleront progressivement et tu auras tout le temps de t'y habituer.

Cette nouvelle phase de ta vie est appelée puberté. C'est ainsi que la nature prépare ton corps à avoir des bébés quand tu seras plus âgée. Ce livre te renseigne aussi sur la procréation.

Grandir est plus facile si tu prends bien soin de toi. Dans ce livre, tu trouveras également des conseils pour avoir une bonne hygiène de vie : comment te laver, manger équilibré, faire de l'exercice et entretenir de bonnes relations avec les autres.

L'âge de la puberté

En règle générale, les petites filles commencent à changer autour de l'âge de 10 ans, mais chez certaines, cela se produit plus tôt alors que chez d'autres, c'est plus tardif. La puberté se déclanche lorsque le corps est prêt, habituellement entre 8 ans et 13 ans.

Ton poids

Tout d'abord, tu vas te mettre à grossir. En effet, ton corps aura besoin d'une réserve d'énergie pour gérer les transformations à venir. Ne t'inquiète donc pas si tu prends un peu de poids. C'est normal.

Même âge, étape différente

Si tu as le même âge que ta meilleure amie, cela ne signifie pas que vous allez grandir exactement en même temps. Il se peut que tu achèves ta croissance et ton développement avant même qu'elle n'ait commencé, ou l'inverse. Cela peut être embarrassant pour chacune de vous. Si tu commences tôt à te transformer, tu seras sans doute fière de ton nouveau corps, mais tu seras aussi consciente d'être en avance sur les autres. En revanche, si ta puberté tarde à se produire, tu pourras te sentir mise à l'écart. Les autres continueront de te traiter comme une enfant alors que tu ne voudras plus en être une.

Tu ne pourras ni accélérer ni retarder ta puberté. Mais rassure-toi : tôt ou tard toutes les filles arrivent au même résultat ! Peu importe donc à quel âge ta puberté commence ; elle te conduira inévitablement à l'âge adulte.

Que va-t-il se passer ?

Voici une liste des changements auxquels tu dois t'attendre, dans l'ordre où ils se produisent en général, mais si ce n'est pas le cas chez toi, peu importe. Et certains apparaîtront simultanément.

Tu grandis, tu t'élargis et prends du poids.

Tes seins commencent à pousser.

Ton visage s'allonge.

Tes poils pubiens apparaissent.

Des poils poussent au niveau des aisselles.

Tu commences à transpirer davantage.

Peau et cheveux deviennent plus gras.

Tes organes sexuels se développent.

Tes règles apparaissent.

Une nouvelle personne

Du tout début de ta puberté au moment où tes règles apparaissent, 3½ ans peuvent s'écouler, et il se passera encore plusieurs années avant que tu aies achevé ta croissance. Progressivement, tu vas te sentir différente. Tu vas changer mentalement aussi bien que physiquement, et cela peut être parfois perturbant. Cependant, ne t'inquiète pas : à la fin de ta puberté, tu seras toujours toi, juste un peu plus mature.

Moi, à 5 ans

Plus grande et plus large

Si les gens se mettent à remarquer combien tu as grandi, c'est que d'autres changements sont probablement aussi en cours. Cette soudaine poussée de croissance est l'un des premiers signes de la puberté. Peu après, tu vas aussi commencer à t'élargir. Toutes les filles ne grandissent pas d'un seul coup. Chez certaines, la croissance se fait sur plusieurs années.

Une poussée de croissance

En général, la croissance des filles s'accélère vers 11½ ans, mais tu peux grandir avant ou après cet âge. La plupart des filles ont presque fini de grandir vers 15 ans.

Si tu subis une poussée de croissance tôt, tu arrêteras de grandir aussi plus tôt. Mais si tu te mets à grandir plus tard, il se peut aussi que tu rattrapes, et même que tu dépasses, les filles plus précoces.

Prendre des hanches

Tes hanches sont la partie de ton corps qui va s'élargir le plus. En effet, ton bassin devra être suffisamment large pour permettre la croissance et la naissance de futurs bébés.

La force musculaire

Les adultes ont deux fois plus de muscles que les bébés, et ta masse musculaire va s'accroître au cours de la puberté. C'est la raison pour laquelle il faut bien manger et faire de l'exercice.

Les filles sont généralement moins fortes que les garçons, car elles sont naturellement moins musclées. Les garçons sont aussi plus grands, plus larges et ont un cœur et des poumons plus volumineux.

Question de poids

Entre 9 ans et 18 ans, tu vas beaucoup grossir, et peut-être même doubler ton poids. Cette augmentation n'est pas uniquement due à la graisse et aux muscles, mais aussi aux os et aux organes internes, comme le cœur et le foie, qui deviennent plus gros et plus lourds.

Les filles accumulent davantage de graisse que les garçons, et pour une bonne raison : cette réserve d'énergie leur servira au moment de la grossesse et de l'allaitement d'un bébé.

Des poils partout !

L'un des premiers changements que tu vas remarquer est l'apparition de poils dans des endroits où tu n'en avais pas avant. Ces poils ne sont généralement pas très esthétiques, mais personne n'a besoin de les voir !

Les poils pubiens

Les premiers poils à pousser sont les poils pubiens. Ils vont friser et peuvent ne pas être de la même couleur que tes cheveux. S'ils deviennent trop touffus et sortent de ton maillot de bain, tu peux toujours les couper un peu avec des petits ciseaux à bout rond, et en faisant très attention.

Les poils pubiens poussent dans un triangle situé à cet endroit.

À quoi servent les poils ?

Chez de nombreux animaux, les odeurs corporelles servent à attirer un partenaire. Chez l'homme, cela ne semble cependant pas être le cas. Les poils, des aisselles en particulier, retiennent la sueur et diffusent son odeur, mais la plupart des gens trouvent cela très désagréable.

Les aisselles

À peu près un an après l'apparition des poils pubiens, tu verras des poils pousser sous tes bras. Si tu le souhaites, tu pourras les raser avec un rasoir et de la mousse ou du gel disponibles dans le commerce.

1. Mouille d'abord l'aisselle avec de l'eau chaude, puis étale une noisette de gel sur les poils avec les doigts. Vérifie que la lame du rasoir est bien fixée.

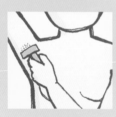

2. Rase les poils avec soin. Va d'abord de haut en bas, rince le rasoir à l'eau, puis remonte pour éliminer tous les poils. Rince les aisselles à l'eau froide et sèche-les. Attends quelques minutes avant de mettre du déodorant, ou ça te piquera.

Si la peau est irritée après le rasage, soit la lame du rasoir est émoussée, soit tu es allergique au gel utilisé. Change de marque.

Les jambes

Des poils plus drus vont aussi pousser sur tes jambes, et c'est normal. Les humains sont apparentés aux singes et les premiers hommes étaient certainement très poilus. Il est facile de se couper en se rasant les jambes. Fais-le lentement, en remontant. Pour une épilation durable, essaie bandes de cire ou épilateur électrique.

Les seins qui poussent

Il se peut que tu te demandes pourquoi les femmes ont des seins. En fait, tes seins te serviront surtout lors de tes futures maternités. En effet, le lait maternel est l'aliment le plus sain pour les bébés. Mais les seins sont aussi esthétiques et sensibles au toucher.

Tôt ou tard

Si ta poitrine commence à pousser tôt, cela ne signifie pas que tu auras de gros seins. Ils pourront s'arrêter de grossir plus tôt. De même, s'ils se développent tard, ils ne seront pas forcément petits. Généralement, la poitrine pousse jusqu'à 17 ans environ.

Aïe !

Petits désagréments

En poussant, tes seins deviendront peut-être douloureux au toucher. Ils pourront aussi picoter ou gratter, mais cela passera vite. Il se peut aussi qu'il y en ait un qui pousse plus vite que l'autre. Ne t'inquiète pas, tu ne resteras pas asymétrique ! Ils feront finalement à peu près la même taille, bien qu'ils ne soient jamais exactement identiques.

L'anatomie des seins

Les seins sont principalement constitués de tissus adipeux qui entourent et protègent les glandes mammaires. Lorsqu'une femme a un bébé, ces glandes produisent le lait. Celui-ci sort par les mamelons, à travers de minuscules trous invisibles à l'œil nu.

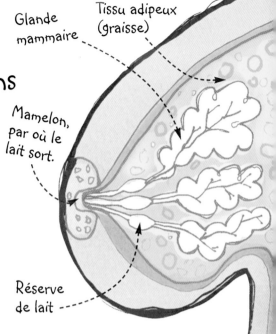

Glande mammaire

Tissu adipeux (graisse)

Mamelon, par où le lait sort.

Réserve de lait

Des seins de toutes les tailles

Certaines jeunes filles et femmes se sentent gênées par leur poitrine. En effet, la taille des seins est très variable. Il est courant de se demander si les siens ne sont pas trop gros ou trop petits. Qu'ils soient petits, moyens ou gros, tous les seins sont normaux. Et il en existe pour tous les goûts !

Les soutiens-gorge

C'est à toi de décider quand tu auras envie de porter un soutien-gorge. Il en existe même pour les plus petites poitrines. Tu n'es pas non plus absolument obligée d'en porter un. Cependant, beaucoup de femmes se sentent plus confortables avec un soutien-gorge quand elles font de l'exercice.

Tes mesures

Pour avoir une idée de ta taille avant d'acheter un soutien-gorge, tu peux prendre tes mesures toi-même.

1. Mesure le tour de ta cage thoracique, juste sous les seins, en ajustant bien le mètre ruban. Ajoute 12 cm pour obtenir ton tour de poitrine :

   Par exemple : 68 cm + 12 cm = 80 cm.

2. Mesure ensuite le tour des seins, au niveau des mamelons, sans les aplatir avec le mètre ruban.

   * Si tu obtiens le même nombre que ton tour de poitrine, ta taille est AA.

   * S'il y a une différence de 10-15 mm, tu fais un bonnet A.

   * Avec une différence de 2,5 cm, tu fais un bonnet B.

   * Une différence de 5 cm donne un bonnet C.

   * Et une différence de 7,5 cm, un bonnet D.

Le bon ajustement

Le meilleur moyen de trouver un soutien-gorge qui te va est d'en essayer de plusieurs styles. Il doit être bien ajusté autour de ta cage thoracique afin de ne pas remonter, et les bonnets doivent épouser la forme des seins. Trop petits, ils les compriment et trop grands, ils font des plis. Passe ton haut pour vérifier que le soutien-gorge te donne une jolie silhouette.

Les types

Un soutien-gorge pour adolescente est conçu pour être doux et confortable. En général, il couvre toute la poitrine, n'est pas trop transparent et donne une silhouette naturelle.

Le soutien-gorge avec bretelles amovibles permet de modifier l'attache de celles-ci pour qu'elles ne se voient pas avec un décolleté.

Le soutien-gorge de sport maintient fermement la poitrine et laisse respirer la peau.

Sous un T-shirt, le mieux est un soutien-gorge à bonnets moulés, sans coutures ni dentelles.

Le soutien-gorge à armature accentue le galbe et soutient une poitrine forte mais n'est pas recommandé avant 16 ans, car il peut être mauvais pour les seins en développement.

Mon premier soutien-gorge !

Comment ça commence ?

Tous ces événements ne se produisent pas au hasard. Ils sont déclenchés et entretenus par des messages chimiques appelés hormones. Ton corps fabrique de nombreuses sortes d'hormones, mais à la puberté, le taux de certaines, particulièrement les hormones sexuelles, augmente brusquement.

Tout est dans la tête

C'est le cerveau qui donne à l'organisme l'ordre de démarrer la fabrication des hormones sexuelles. Une nuit, pendant ton sommeil, une zone du cerveau de la taille d'un grain de raisin, l'hypothalamus, se met à fabriquer une hormone appelée GnRH (gonadolibérine). Quand la GnRH est en quantité suffisante, une autre zone du cerveau, l'hypophyse, sait qu'il est temps de produire deux autres hormones : la FSH (hormone folliculostimulante) et la LH (hormone lutéinisante).

Tu ne te rendras pas compte de toute cette activité dans ton cerveau. La véritable action commence lorsque la FSH et la LH envoient un signal à une autre partie du corps : les ovaires, qui se trouvent dans ton ventre. Ceux-ci se mettent à produire des hormones sexuelles et tu remarqueras alors de grands chamboulements.

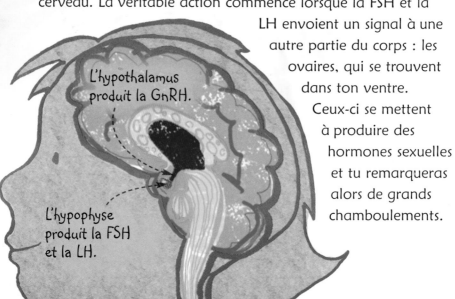

L'hypothalamus produit la GnRH.

L'hypophyse produit la FSH et la LH.

Les hormones sexuelles

Chez la femme, les principales hormones sexuelles sont les œstrogènes et la progestérone. Les œstrogènes sont responsables de certains changements à la puberté, comme le développement de la poitrine, par exemple. La progestérone joue un rôle lors des règles (voir pages 22 à 29).

Le fonctionnement des hormones

Les hormones sont véhiculées par le sang jusqu'au bon endroit. Elles sont fabriquées par les glandes endocrines, dont l'hypothalamus et l'hypophyse, de même que par les ovaires, où sont synthétisés les œstrogènes et la progestérone. Reporte-toi aux pages 18-19 pour en apprendre davantage sur les ovaires.

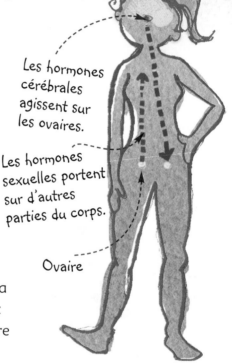

Les hormones cérébrales agissent sur les ovaires.

Les hormones sexuelles portent sur d'autres parties du corps.

Ovaire

Mâle ou femelle

Les hormones sexuelles femelles ne se trouvent pas exclusivement chez les filles, les garçons en possèdent un faible taux. Et les filles ont aussi des hormones mâles, dont la principale, la testostérone. Garçons et filles ne sont donc pas si différents que cela !

De quoi s'agit-il ?

À quoi servent donc toutes ces modifications anatomiques ? En fait, si la puberté a pour but de te permettre d'avoir des bébés plus tard, ton corps, lui, pourra le faire bien avant que tu en aies envie ou que tu puisses t'en occuper correctement.

Les relations sexuelles

Pour qu'un bébé soit conçu, un spermatozoïde provenant d'un homme doit s'unir à un ovule dans le corps d'une femme. Le couple doit donc avoir des relations sexuelles. Ils commencent par des caresses et des baisers, appelés préliminaires.

Spermatozoïde

Puis le pénis de l'homme se raidit tandis que le vagin de la femme, le conduit qui débouche, entre les jambes, est lubrifié par un fluide. Le pénis de l'homme y pénètre et éjacule une petite quantité de sperme. Celui-ci contient des millions de spermatozoïdes qui remontent dans le corps de la femme à la rencontre de l'ovule. Si l'un d'eux pénètre dans l'ovule, un bébé va se développer.

Un seul spermatozoïde peut féconder l'ovule.

De nombreux ovules

Dès ta naissance, tu possèdes un certain nombre d'ovules. À la puberté, ils arrivent à maturation et, fécondés, peuvent devenir des bébés.

En réalité, l'ovule est minuscule et les spermatozoïdes encore plus.

Les mythes

Tu as dû entendre les histoires de bébés apportés par des cigognes, ou qui naissent dans un chou ou une rose ! En réalité, l'unique moyen de concevoir un bébé est que le sperme d'un homme pénètre dans le vagin d'une femme. Et rassure-toi, tu ne peux pas tomber enceinte seule, ni en embrassant un garçon ou en lui tenant la main.

Sexe et sentiments

Les relations sexuelles ne servent pas uniquement à concevoir un bébé. C'est un moyen de se prouver mutuellement son amour. C'est d'ailleurs pour cela que l'on dit « faire l'amour ». Le sexe peut être très gratifiant, mais aussi déplaisant s'il est pratiqué avec une personne pour laquelle on n'a pas de véritable attirance, ou qu'on n'en ressent pas vraiment l'envie.

La contraception

Un couple ne désirant pas avoir un bébé peut prendre certaines précautions pour que la femme ne tombe pas enceinte. Ces moyens sont appelés contraception. L'un d'eux est l'utilisation d'un préservatif, une fine enveloppe qui s'enfile sur le pénis de l'homme avant qu'il pénètre dans le vagin de la femme. Le sperme se trouve piégé à l'extrémité de cette poche et n'atteint pas l'ovule.

Préservatif ------>

Bouleversements internes...

Pour que ton corps se prépare à la maternité, il faut que de grands bouleversements anatomiques se produisent au niveau de tes organes sexuels. Cependant, tu ne les remarqueras pas vraiment, ceux-ci étant à l'intérieur de ton corps.

Les organes sexuels internes sont dans le bas-ventre.

Les organes internes

Tu possèdes deux ovaires, deux trompes de Fallope et un utérus relié au vagin par le col de l'utérus. Ces organes vont grandir, tout comme le reste de ta personne.

Les ovules sont stockés dans les ovaires. Un ovaire mature (qui a atteint sa maturité) a à peu près la taille et la forme d'une noix.

L'intérieur des trompes de Fallope a à peu près l'épaisseur d'une mine de crayon. C'est l'endroit où les spermatozoïdes peuvent rencontrer un ovule lors des relations sexuelles entre un couple.

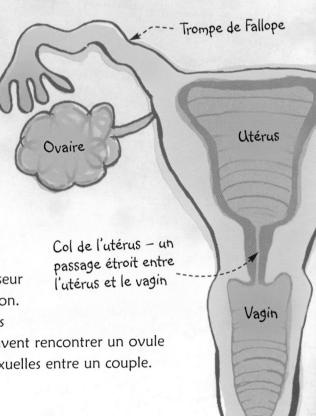

Trompe de Fallope

Ovaire

Utérus

Col de l'utérus – un passage étroit entre l'utérus et le vagin

Vagin

La position des organes

Les organes sexuels (en rouge sur l'illustration) se situent derrière et au-dessus de la vessie, où l'urine est stockée. Ils sont protégés par les os du bassin.

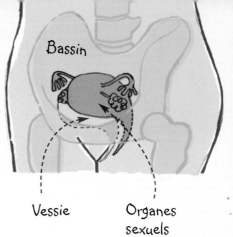

Bassin

Vessie

Organes sexuels

Trompe de Fallope

Ovaire

Lorsqu'une femme est enceinte, le bébé grandit à l'intérieur de son utérus. L'utérus a environ la taille et la forme d'une poire creuse renversée, mais il se dilate énormément avec la croissance du bébé.

Le vagin est le conduit qui mène à l'extérieur du corps. Il mesure environ 10 cm de long et ses parois sont souples et élastiques. Lors d'une relation sexuelle, le pénis de l'homme y pénètre, et c'est par là que sort le bébé lors de l'accouchement.

Cette illustration montre le trajet suivi par les spermatozoïdes vers une trompe de Fallope, où ils peuvent rencontrer l'ovule issu d'un ovaire.

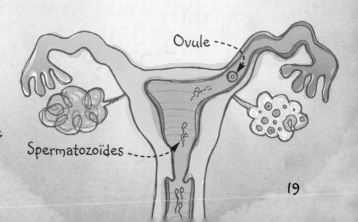

Ovule

Spermatozoïdes

19

... et externes

Les organes sexuels externes sont appelés organes génitaux. Ceux des filles sont assez discrets. Tu ne pourras voir les tiens qu'en les regardant dans un miroir.

La vulve

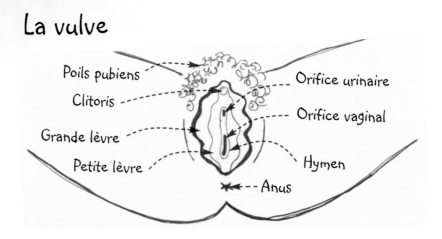

Poils pubiens
Clitoris
Grande lèvre
Petite lèvre
Orifice urinaire
Orifice vaginal
Hymen
Anus

Le terme correct pour désigner les organes génitaux d'une fille est la vulve.

La vulve est protégée par deux épais replis de peau, les grandes lèvres. Elles ne sont pas toujours symétriques.

À l'intérieur des grandes lèvres se trouvent les petites lèvres, très sensibles au toucher.

À l'avant, à la jointure des petites lèvres, se trouve une petite excroissance de la taille d'un pois, le clitoris. Il est également très sensible.

L'orifice vaginal s'étire facilement, comme le vagin lui-même.

L'orifice vaginal peut-être fermé par une fine membrane de peau, l'hymen, qui se déchire souvent quand on est enfant, surtout si on est sportive. Il disparaîtra avec la croissance.

Tu peux te regarder dans un miroir si tu le souhaites.

Les autres parties

L'orifice urinaire (de l'urètre), d'où s'écoule l'urine, est un peu plus bas que le clitoris. Il ne fait pas partie des organes génitaux et n'a aucun rôle sexuel.

L'anus, d'où sortent les selles lorsque tu vas aux toilettes, n'est pas non plus une partie de la vulve, mais il se situe très près.

Fluides corporels

En grandissant, tu remarqueras qu'un peu de fluide s'écoule parfois de ton orifice vaginal. C'est normal, et c'est même un signe de bonne santé. En effet, ces sécrétions garantissent la propreté et l'humidification du vagin. Cet écoulement n'est pas assez important pour mouiller la culotte.

Identiques au début

Dans l'utérus maternel, garçons et filles sont d'abord identiques. Ce n'est qu'à partir de 12 semaines que les organes génitaux commencent à se différencier. Le bourgeon qui devient le clitoris chez une fille se transforme en pénis chez un garçon.

Le rôle des règles

Lors de la puberté, le plus grand changement sera l'apparition des règles, ou menstruation : quelques jours par mois, un peu de sang s'écoulera par ton vagin. Cela peut te sembler effrayant, mais c'est le signe que ton corps fonctionne correctement. En outre, sachant à quoi t'attendre, tu redouteras moins leur arrivée.

Règles et bébés

Règles et conception sont étroitement liées. Chaque mois, la muqueuse qui tapisse l'utérus s'épaissit et se gorge de vaisseaux sanguins en prévision de l'ovule qui pourrait s'y nicher pour devenir un bébé. Si la femme n'est pas fécondée, la muqueuse se désagrège et est évacuée par le vagin. Ce sont les règles.

Tu t'apercevras sans doute que tes règles ont commencé en allant aux toilettes.

Devinez quoi ?
Elles sont arrivées !

Les premières règles

En général, les premières règles arrivent environ 2½ ans après le début de la croissance des seins. Durant les quelques mois précédant les règles, le vagin peut produire des sécrétions plus abondantes. Généralement, les règles commencent entre 10 ans et 15 ans, mais pas toujours.

Des règles périodiques

Les règles, aussi appelées menstruation, reviennent tous les 28 jours environ (soit à peu près une fois par mois). Cette période peut cependant varier de 20 à 35 jours, et même davantage, surtout quand le cycle commence. Le flux menstruel dure généralement de 2 à 8 jours.

L'action des hormones

Les hormones sexuelles sont responsables des règles. Pendant la première moitié du cycle, les œstrogènes provoquent l'épaississement de la muqueuse utérine. Puis tu ovules : l'un des ovaires libère un ovule mature qui remonte dans une trompe de Fallope.

La progestérone épaissit davantage la muqueuse utérine. Si l'ovule n'est pas fécondé par un spermatozoïde, il meurt et les taux d'œstrogènes et de progestérone s'effondrent, ce qui provoque la désagrégation de la muqueuse utérine sous forme de règles.

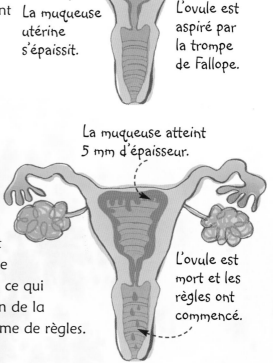

La muqueuse utérine s'épaissit.

L'ovule est aspiré par la trompe de Fallope.

La muqueuse atteint 5 mm d'épaisseur.

L'ovule est mort et les règles ont commencé.

Les serviettes hygiéniques

Lorsque tes règles vont commencer, tu te sentiras peut-être plus à l'aise avec des serviettes qu'avec des tampons. Les serviettes se fixent au fond de la culotte et absorbent le flux des règles.

Les types de serviettes

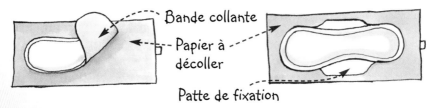

Bande collante

Papier à décoller

Patte de fixation

La plupart des serviettes sont adhésives et se collent au fond de la culotte pour ne pas bouger. Au début, il te faudra sans doute un peu de pratique pour les mettre bien en place.

Certaines serviettes sont également munies de pattes de fixation qui se replient à l'extérieur de la culotte et y adhèrent. Mieux fixées, ces serviettes sont aussi un peu plus absorbantes.

Taille et épaisseur

Il existe des serviettes périodiques de différentes tailles et épaisseurs. Choisis celle qui convient le mieux à ton anatomie intime. Le flux est en général plus abondant vers le début des règles et nécessite alors des serviettes plus épaisses, ainsi que la nuit, car tu ne te changeras pas avant le matin.

Changer de serviettes périodiques

Tu prendras vite l'habitude de savoir à quel moment changer de serviette. Dans la journée, tu dois cependant en changer toutes les quatre heures – pas seulement pour éviter les fuites, mais pour prévenir le développement de bactéries. Le sang des règles est propre, mais une fois à l'extérieur, il entre en contact avec les bactéries de l'air responsables de mauvaises odeurs et même d'infections.

Que faire des serviettes souillées ?

Tu ne dois pas jeter tes serviettes usagées dans les toilettes, au risque de boucher celles-ci ou de polluer les rivières et les plages. Il faut les envelopper et les mettre dans une poubelle. Généralement, les serviettes propres sont pliées dans un sachet que tu peux utiliser pour les jeter, mais tu peux aussi utiliser un sac en plastique ayant servi. Emportes-en toujours un petit avec toi quand tu sors, même si la plupart des toilettes publiques disposent d'une poubelle réservée aux serviettes usagées.

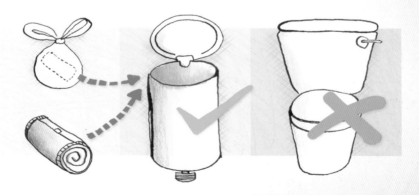

Les tampons

De nombreuses femmes préfèrent utiliser des tampons. En effet, le tampon absorbe le sang à l'intérieur du vagin et, une fois en place, on ne peut pas le sentir. De plus, il n'y a aucun risque qu'il puisse être vu à travers les vêtements. Avec un tampon, tu peux même pratiquer la natation.

Les types de tampons

Certains tampons ont un applicateur qui facilite leur introduction dans le vagin. Cependant, nombre de femmes trouvent les tampons sans applicateur plus pratiques. Il suffit de les pousser avec le doigt.

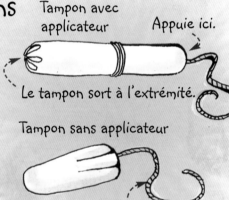

Tampon avec applicateur

Appuie ici.

Le tampon sort à l'extrémité.

Tampon sans applicateur

La cordelette qui sert à retirer le tampon reste en dehors du vagin.

La bonne taille

Il existe plusieurs tailles de tampons. La taille qui te conviendra dépend de l'abondance de ton flux et non de la dimension de ton vagin. Certaines marques proposent des tampons de plusieurs tailles dans le même paquet, à utiliser selon les différents jours des règles.

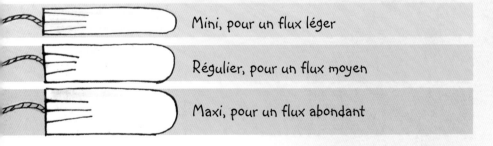

Mini, pour un flux léger

Régulier, pour un flux moyen

Maxi, pour un flux abondant

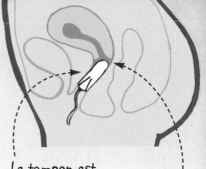

Mettre un tampon

La première fois, mieux vaut mettre un tampon quand le flux est abondant, car il sera plus facile à insérer dans le vagin. Choisis un mini tampon et suis les instructions. Si tu n'arrives pas à l'introduire, c'est sans doute que tu es nerveuse. Réessaie un peu plus tard.

Le tampon est dirigé vers l'arrière.

Il doit être placé haut dans le vagin pour que tu ne le sentes pas. Le col de l'utérus le bloque là.

Changer de tampon

Si le tampon commence à fuir, tu ressentiras de l'humidité car la cordelette se charge de sang. Même si le flux est léger, tu dois changer de tampon toutes les quatre heures, voire moins. Sinon, les bactéries vaginales peuvent causer une infection. Pour cela aussi, la nuit, mieux vaut utiliser une serviette.

Les tampons ne bouchent pas les toilettes, mais il est plus écologique de les mettre à la poubelle, comme les serviettes.

Si tu hésites

Tu peux parfaitement utiliser des tampons même si tu es tout juste réglée, à condition que tu te sentes à l'aise. Lis la notice d'accompagnement avec soin, en particulier le passage sur le syndrome du choc toxique. C'est une maladie rare mais grave. Pour réduire le risque, utilise des tampons les plus petits possible et changes-en souvent. La nuit, ou quand le flux est léger, préfère les serviettes.

S'habituer aux règles

L'arrivée des règles chez une fille est une étape normale de sa croissance et de sa santé, et beaucoup s'en accommodent parfaitement. Toutefois, comme les taux hormonaux varient en cours du mois, tu te sentiras sans doute mieux certains jours que d'autres.

Règles douloureuses

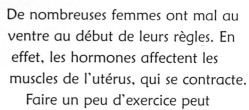

De nombreuses femmes ont mal au ventre au début de leurs règles. En effet, les hormones affectent les muscles de l'utérus, qui se contracte. Faire un peu d'exercice peut soulager, mais si tu as trop mal, repose-toi en mettant une bouillotte d'eau chaude sur ton ventre. Si cela ne te soulage pas, ton médecin pourra te prescrire un antalgique.

Le syndrome prémenstruel

Quelques jours avant leurs règles, certaines femmes se sentent fatiguées, irritables, en proie à des maux de tête : c'est le syndrome prémenstruel. On pense qu'il est dû aux modifications des taux hormonaux. Il n'y a pas de remède miracle, mais tu peux essayer de manger des aliments sains par petites quantités dans la journée, de faire de l'exercice et de dormir davantage.

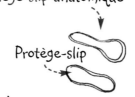 Protège-slip anatomique

Boîte ou sachet pour tampons et serviettes

 Protège-slip

Conseils

Sois prévoyante

Au début, tes règles ne seront sans doute pas régulières. Emporte toujours une serviette ou un tampon avec toi, juste au cas où. Porte aussi un protège-slip (une toute petite serviette) lorsque tu les attends. En cas d'urgence, utilise des mouchoirs, des serviettes en papier ou du papier toilette.

Reste toi-même

Il se peut que tu aies la désagréable impression qu'en te regardant, les gens devinent que tu as tes règles, mais c'est faux ! Par ailleurs, la plupart des serviettes sont si fines qu'il est impossible de les deviner sous les vêtements, à moins que ceux-ci soient vraiment très moulants.

Change-toi souvent

Certaines filles portent des vêtements sombres pendant leurs règles, en cas de fuite. Si cela t'arrive, noue un pull autour de ta taille pour dissimuler la tache. Si tu portes une jupe, tourne-la de façon que l'on croie que tu as juste renversé quelque chose dessus.

Un bain relaxant

Le sang s'écoule moins vite dans l'eau et un bon bain chaud te fera du bien. Mais prévois du papier toilette au moment d'en sortir pour ne pas tacher la serviette.

Les humeurs

Rien d'étonnant à ce que tu aies des sautes d'humeur – tu changes si rapidement, à la fois physiquement et psychologiquement ! Ne désespère pas. Tes hormones finiront par se stabiliser, et toi aussi !

Tes amis

Il se peut que tes amis d'enfance s'éloignent un peu. En effet, vous grandissez à des rythmes différents et vous découvrez de nouveaux centres d'intérêt. C'est normal de vouloir appartenir à un groupe, mais tu n'as pas à le suivre aveuglément. Les véritables amis doivent respecter ton individualité.

Si tu te sens souvent timide et maladroite, il est bon de savoir que d'autres partagent aussi ces sentiments. En fait, les individus les plus extravertis compensent souvent un manque de confiance en eux.

Tes parents

Tu vas aussi devenir moins dépendante de tes parents. C'est ainsi que tu apprendras à te débrouiller en tant qu'adulte. Mais ta nouvelle indépendance sera aussi source de désagréments. Comme tu n'as pas d'expérience de la vie, tes parents voudront te protéger et t'éviter de faire de mauvais choix. Ne romps pas le dialogue avec eux et trouve des compromis – ils ne veulent certainement que ton bonheur et ta sécurité. Dès qu'ils réaliseront que tu deviens de plus en plus responsable, ils t'accorderont plus d'indépendance.

L'attirance sexuelle

En mûrissant, il est naturel de se sentir sexuellement attiré par d'autres personnes. Il t'arrivera même de fantasmer sur une personne que tu trouveras particulièrement séduisante. Ne te culpabilise pas – c'est comme cela que tu exploreras tes émotions. L'action de te toucher les organes génitaux pour te donner du plaisir, appelée masturbation, est aussi naturelle. La masturbation peut déboucher sur un orgasme, une sensation extrême de plaisir sexuel qui peut détendre tout le corps.

L'âge des premiers rendez-vous amoureux est variable, tout comme les autres changements liés à la puberté. Ne te sens pas obligée de sortir avec quelqu'un si tu n'es pas prête, et n'accepte jamais un rendez-vous d'une personne qui ne te traite pas avec gentillesse et respect.

La majorité des gens est attirée par des personnes du sexe opposé, mais ce n'est pas toujours le cas. Durant la puberté, il est fréquent d'être attiré par une personne du même sexe. C'est également le cas des homosexuels ou « gays », hommes ou femmes. Certaines personnes aiment aussi les deux sexes : elles sont dites bisexuelles. Une femme qui aime uniquement les femmes est souvent appelée une lesbienne.

Une alimentation saine

Que tu le croies ou non, tu géreras mieux les changements d'humeur inhérents à la puberté si tu manges sainement. Non seulement tu te sentiras en meilleure forme, avec plus d'énergie, mais tes cheveux et ta peau auront aussi un aspect plus sain. En outre, tu auras plus de chance d'avoir un poids idéal et de t'y maintenir.

Les différents aliments

Pour obtenir les nutriments dont tu as besoin, tu dois consommer des aliments très variés. Les diététiciens les classent en cinq groupes.

1. Pain, pommes de terre, riz, pâtes et céréales
Riches en amidon et en hydrates de carbone, ce sont les glucides. En manger beaucoup, car ils fournissent l'énergie.

2. Fruits et légumes (frais, surgelés ou en conserve)
Ce groupe inclut les légumes secs. En manger au moins cinq fois par jour. Apportent les vitamines et minéraux essentiels, qui protègent des maladies, ainsi que les fibres nécessaires au transit intestinal.

3. Viande, poisson, œufs, fruits oléagineux (noix, etc.)
Consomme ces aliments modérément. Ils t'apportent les protéines indispensables à la croissance.

4. Lait, fromage, produits laitiers divers
Mange en quantité raisonnable. Ils contiennent des lipides (graisses) et le calcium, qui permet de développer des os et des dents solides.

5. Aliments gras et/ou sucrés
Confiseries, gâteaux, barres chocolatées, crèmes glacées et toutes les boissons sucrées. Manges-en le moins possible !

Quelle quantité ?

À la puberté, tu as besoin d'autant de nourriture qu'une femme adulte, car tu grandis très vite. Ta faim est le meilleur indicateur de la quantité d'aliments à absorber. Mange quand tu as faim et arrête-toi une fois rassasiée. Ne t'inquiète pas si tu prends un peu de poids. En grandissant, tu deviendras plus mince.

Ce tableau montre en quelles proportions tu dois manger les aliments de chaque catégorie. Favorise les groupes 1 et 2 au détriment du 5.

Aliments et santé

Le petit-déjeuner

Ne néglige jamais le petit-déjeuner.
En effet, ton organisme utilise de
l'énergie même quand tu dors, et il
faut la remplacer au matin. Avec un
petit-déjeuner équilibré, tu n'auras
pas de « coup de barre » en cours
de matinée. Ta concentration sera
meilleure et tu resteras en forme.

Les aliments et les dents

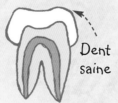 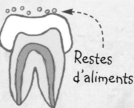 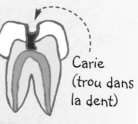

Dent
saine

Restes
d'aliments

Carie
(trou dans
la dent)

Vers l'âge de 13 ans, tu auras toutes tes dents d'adulte
et il faudra qu'elles durent toute ta vie. Or, les débris de
nourriture qui y restent coincés peuvent provoquer des caries.

Tu dois donc te brosser les dents, si possible après chaque
repas, et surtout avant d'aller te coucher. Brosse de haut en
bas pour déloger les dépôts et utilise le fil dentaire. Si tu as
un appareil, suis les conseils de ton
orthodontiste. Aliments et boissons
sucrés sont très mauvais, et ils feront
pourrir tes dents deux fois plus vite
en présence d'un appareil.

*Incline la brosse à dents de cette façon
pour nettoyer l'arrière des dents.*

Repas tout prêts/aliments frais

Les aliments des plats préparés ont été dénaturés d'une manière ou d'une autre en cours de transformation : des nutriments ont été altérés et des substances chimiques, tels colorants artificiels et édulcorants, ont été ajoutées. Certains scientifiques pensent que ces substances sont à l'origine de maladies et les diététiciens recommandent de manger des aliments fraîchement préparés.

La « junk food » ou malbouffe

Tu dois savoir ce qu'est la « junk food », des produits contenant trop de sucre, de graisse ou de sel, qui font grossir et apportent peu de nutriments sains. Ils sont partout : confiseries, boissons sucrées, fast-food, chips… Appétissants, il est difficile de les éviter ! Mais essaie d'en manger le moins possible et préfère un fruit en-cas.

Les troubles de l'alimentation

Les troubles de l'alimentation sont des maladies graves, déclenchées par des problèmes psychologiques et non par la nourriture elle-même. Les anorexiques ne s'alimentent plus suffisamment, car ils se voient beaucoup plus gros qu'ils ne le sont en réalité. Les boulimiques se gavent puis se font vomir de peur de grossir. Si un tel trouble survient, chez toi ou chez une amie proche, confie-toi immédiatement à un adulte de confiance. Traité rapidement, on en guérit très bien.

Faire de l'exercice

En faisant de l'exercice, tu te sentiras plus forte, aussi bien physiquement que mentalement. Ton sommeil sera amélioré, ton stress réduit, ta ligne avantagée et tu garderas un poids idéal. En prévenant les maladies cardiaques et les dépressions, l'exercice a aussi des effets bénéfiques à long terme.

Maintenant...

Un jeune corps a besoin de se dépenser. La puberté est la période où les muscles se développent et les os se renforcent. Plus tard, ce sera plus difficile. Si tu abandonnes l'exercice, tu risques de grossir et de manquer d'énergie. Au début, tu manqueras peut-être de motivation, mais, au bout de quelques séances, tu remarqueras que tu te sens vraiment bien.

Combien de temps ?

Pour rester en forme, tu dois faire au moins une demi-heure d'exercice par jour (une heure est l'idéal). Cela peut te paraître long, mais tu peux y inclure le trajet à pied à l'école, à condition de marcher vite. Deux fois par semaine, livre-toi à un exercice plus contraignant, pour accélérer le rythme cardiaque.

Quel sport choisir ?

Force, endurance et souplesse, voici les trois qualités que tu dois développer pour être en forme. L'endurance est la capacité d'aller jusqu'au bout d'un exercice sans fatigue. Parmi les sports bons pour la forme figurent la danse, le football, le patinage, le roller, la natation et le tennis. Mais n'importe quel exercice physique est mieux que pas du tout, alors, si un sport te tente, n'hésite pas à te lancer. Tu feras preuve de davantage de persévérance si tu es passionnée.

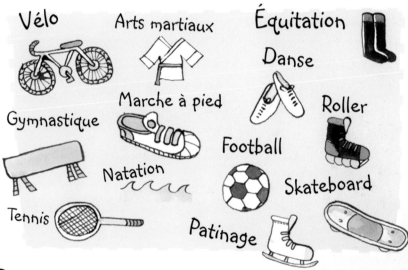

Repos et sommeil

La puberté est un passage éprouvant pour le corps et l'esprit, et tu auras besoin de temps pour te reposer et récupérer. Pendant le sommeil, le corps se régénère et tes rêves peuvent t'aider à apprendre et à comprendre les choses qui t'arrivent. On compte environ 10 heures de sommeil pour les 8-10 ans et 9 heures pour les 11-15 ans.

L'hygiène

Si tu ne veux pas sentir mauvais, il te faudra désormais te laver plus souvent que quand tu étais enfant. Ce n'est pas que tu sois plus sale, mais tu commences à transpirer davantage.

Comment se laver

Des glandes sudoripares sont présentes sur toute la surface de la peau, mais elles sont plus concentrées dans certaines zones : les aisselles et les organes génitaux. Tu dois prendre une douche chaque jour et laver ces endroits pour éviter les mauvaises odeurs. Il te faudra également changer de vêtements plus souvent qu'auparavant, surtout de sous-vêtements et de hauts.

L'usage des déodorants

La plupart des déodorants sont également antitranspirants. Les déodorants évitent le développement des odeurs dans la sueur, tandis que les antitranspirants réduisent la transpiration. Pour les aisselles, opte pour un déodorant/antitranspirant, mais ne l'utilise pas continuellement. En effet, les produits chimiques qu'ils contiennent sont peut-être absorbés par le corps et certains pensent qu'ils sont nocifs pour la santé. Aussi, quand tu restes chez toi, ainsi que la nuit, n'en utilise pas.

Bien s'essuyer

L'anus est plein de germes, et si ceux-ci pénètrent dans le vagin ou l'urètre, ils provoqueront une infection. Pour l'éviter, lorsque tu t'essuies, que tu te laves ou que tu sèches tes parties génitales, fais-le de l'avant vers l'arrière. Utilise un savon doux mais pas de déodorant, très irritant pour la peau délicate de cet endroit.

Sèche d'abord le devant.

Puis sèche l'arrière.

Est-ce bien normal ?

N'oublie pas que les sécrétions vaginales gardent le vagin propre. Parfois, elles sont plus abondantes, et la couleur, habituellement claire, devient laiteuse. C'est normal. Inquiète-toi seulement si tu sens une démangeaison, une brûlure ou une mauvaise odeur. Cela signifie que tu as peut-être une infection ou une réaction allergique. Tu dois alors consulter ton docteur. Souvent, il pourra diagnostiquer le problème d'après ta description, sans t'examiner.

Les boutons

Comme si l'apparition de la poitrine et des règles ne suffisait pas, il se peut aussi que de disgracieux boutons envahissent ton visage ! La plupart des adolescents ont des poussées d'acné à un moment ou à un autre, et beaucoup ont les cheveux gras.

Un excédent de sébum

La peau produit une graisse naturelle, le sébum, sans laquelle elle se dessécherait, et les cheveux aussi. Mais les variations soudaines des taux hormonaux, particulièrement ceux de la testostérone, rendent cette production incontrôlable. Il en résulte de l'acné et des cheveux gras. Certaines personnes ont les chevaux si gras qu'elles doivent les laver quotidiennement.

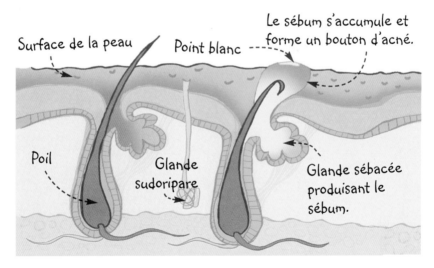

Surface de la peau

Point blanc

Le sébum s'accumule et forme un bouton d'acné.

Poil

Glande sudoripare

Glande sébacée produisant le sébum.

Se débarrasser des boutons d'acné

Il existe différents moyens de réduire l'acné. Trouve celui qui fonctionne le mieux sur toi.

Avec les mains et de l'eau chaude, savonne-toi le visage deux fois par jour avec un savon doux, sans parfum, antiseptique.

Garde les mains et les ongles propres et ne tripote pas tes boutons avec les doigts.

Prends conseil auprès d'un pharmacien, qui recommandera un traitement anti-acné.

Mange équilibré. Selon les spécialistes, certains aliments favoriseraient l'acné, bien que cela ne soit pas prouvé scientifiquement.

Si tu as une poussée d'acné, évite les produits cosmétiques, comme le maquillage. Il existe cependant des crayons spéciaux pour réduire et camoufler les petits boutons d'acné.

Si ton acné est vraiment importante, consulte le pharmacien ou le médecin, pour un traitement approprié.

Presser un comédon

Presser un comédon (point noir) ou un point blanc peut se faire en respectant quelques précautions :

* Lave-toi soigneusement les mains.
* Utilise les doigts mais pas les ongles.
* Presse points noirs et blancs, pas les boutons rouges ou infectés.
* Arrête si rien ne sort, ou si tu n'obtiens qu'un fluide clair ou du sang.
* Applique ensuite un antiseptique, comme de l'huile de théier.
* Lave-toi de nouveau les mains quand tu as fini.

Et les garçons alors ?

Les garçons subissent aussi de nombreux changements physiques et psychologiques. Voici ce qui se passe dans leur corps pour qu'ils puissent, un jour, devenir pères. À l'instar des filles, ils sont capables de procréer bien avant de pouvoir en assumer les responsabilités.

Les organes sexuels des garçons

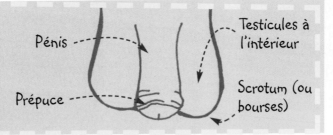

Pénis

Testicules à l'intérieur

Prépuce

Scrotum (ou bourses)

Comme ceux des filles, les organes sexuels des garçons grandissent à la puberté et se couvrent de poils pubiens.

Protégé par un repli de peau, le prépuce, l'extrémité du pénis, est très sensible. Dans certaines religions, le prépuce est retiré chirurgicalement. Cette opération est appelée circoncision.

À la puberté, les testicules des garçons commencent à fabriquer des spermatozoïdes ainsi que des hormones sexuelles mâles (androgènes). Les testicules matures ont la taille de petites prunes. Ils sont suspendus à l'extérieur du corps, derrière le pénis, dans un sac de peau fripée appelé scrotum. La température, inférieure à celle du corps, permet la fabrication des spermatozoïdes.

Les spermatozoïdes sont stockés dans un organe, l'épididyme, constitué de fins canaux enroulés qui, déroulés, atteindraient 6 m de long.

Les spermatozoïdes rejoignent le pénis via les canaux déférents.

Dilués en chemin dans des fluides, ils forment le sperme. Le fluide produit par les vésicules séminales active les spermatozoïdes et celui de la prostate facilite leurs déplacements.

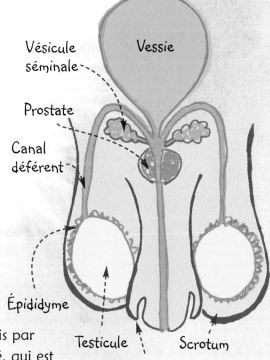

Vésicule séminale

Vessie

Prostate

Canal déférent

Épididyme

Testicule

Scrotum

Prépuce

Le sperme quitte le pénis par le trou de son extrémité, qui est le même que celui d'où sort l'urine. Mais les muscles entourant la vessie empêchent que les deux liquides sortent simultanément.

L'hygiène

Sous le prépuce, il se forme une substance blanche et grasse, le smegma, qui lui permet de glisser sur le gland et de le découvrir. Les garçons doivent laver soigneusement leur pénis chaque jour pour éviter une accumulation malodorante de smegma qui pourrait se transformer en infection.

Les problèmes des garçons

Ne t'imagine pas que la puberté n'est pas un passage difficile pour les garçons. Ils sont aussi embarrassés et anxieux que les filles par les changements dont ils sont l'objet.

La voix qui mue

À l'adolescence, le larynx des garçons, qui abrite les cordes vocales, grandit et leur voix devient plus grave. Au cours de cette mue, elle peut d'ailleurs passer brusquement du grave à l'aigu au milieu d'une phrase, les muscles du larynx perdant brièvement le contrôle. Cela peut être embarrassant.

Une barbe naissante

Chez les garçons, l'apparition de la moustache et de la barbe est l'un des derniers changements. Au début, les poils sont doux et inégalement répartis, laissant des zones glabres sur le visage, ce qui peut leur donner une mauvaise image d'eux-mêmes.

Ils doivent ensuite décider quand commencer à se raser, et apprendre à le faire sans se couper.

Une question de taille

Suis-je assez grand ? Mes épaules sont-elles assez larges ? Et, pire que tout : mon pénis est-il assez gros ? Voici quelques sujets d'anxiété communs chez les garçons. Mais il n'y a pas de taille ni de forme parfaites. Garçons et filles sont tous différents.

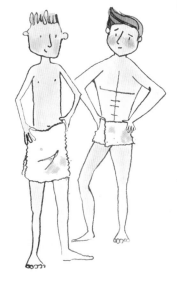

Des seins aussi

En remarquant que leurs seins gonflent un peu, certains garçons ont peur de changer de sexe. Mais cela est passager. Une fois les hormones stabilisées, la « poitrine » disparaît.

Autres sujets d'embarras

Pour que le pénis d'un homme puisse s'introduire dans le vagin d'une femme au cours de relations sexuelles, il faut qu'il gonfle, se raidisse et se redresse. C'est ce qu'on appelle une érection, et elle est produite par un afflux de sang dans le pénis. Le problème, c'est que les garçons ont souvent des érections à des moments inopportuns, et cela peut être particulièrement gênant si l'érection persiste !

Au cours de leur sommeil, ils ont parfois une érection et une éjaculation nocturne consécutive à un orgasme. C'est normal, car leur corps s'accoutume à son nouveau fonctionnement. Mais cela peut être très embarrassant à cause des taches que cela laisse dans le lit.

Les dangers qui te guettent

Au cours de ton adolescence, tu seras confrontée à des situations parfois délicates qu'il te faudra gérer. Voici les plus courantes.

Les drogues

Il y a des drogues autorisées, comme l'alcool et le tabac (la nicotine) et d'autres interdites : cannabis, héroïne, cocaïne, ecstasy, crack et champignons hallucinogènes. On les absorbe de différentes façons : avalées, respirées, fumées ou injectées. Elles ont différents effets et sont toutes dangereuses pour la santé et les contacts humains. Il est très facile de devenir dépendant d'une drogue, physiquement ou mentalement, mais très difficile d'arrêter sa consommation. Certaines, comme les colles, le gaz des briquets et des aérosols, que l'on respire ou vaporise dans la bouche, peuvent même entraîner la mort dès la première prise.

* Le tabac tue les gros fumeurs.

* L'utilisation de cannabis peut provoquer la dépression.

* L'abus d'alcool peut nuire au cerveau encore en développement.

Le sexe sans risque

Le sexe sans risque ne se limite pas à la contraception pour éviter les grossesses. Une personne ayant une infection des organes génitaux la transmettra à son partenaire au cours de rapports sexuels. La plupart des maladies sexuellement transmissibles (MST) se guérissent si elles sont traitées rapidement, mais certaines sont très graves et peuvent être mortelles, tel le sida. L'usage du préservatif permet de se protéger contre la plupart des MST.

Une image valorisante

Vouloir plaire et offrir une
bonne image de soi est naturel,
mais essayer de ressembler à
une célébrité est insensé. Les stars
passent beaucoup de temps et dépensent
beaucoup d'argent à parfaire leur image.
Elles doivent se soumettre à des régimes
sévères et à des exercices intenses.
Personne ne te demande de ressembler
à une star. Les gens sont tous différents,
et ils sont attirés par des apparences
et des physiques variés.

Le harcèlement

Si tu te sens harcelée par quelqu'un, ne le garde pas pour
toi et confie-toi immédiatement à un adulte en qui tu as
confiance. Il pourra te conseiller sur l'attitude à adopter et
trouver un moyen de t'aider. Et n'oublie pas que personne ne
mérite de subir un harcèlement et que ce n'est pas ta faute.

Le droit de refuser

Il arrive qu'une personne tente de persuader, ou même
de forcer, une autre personne à faire des choses malsaines,
illégales ou pour lesquelles elle est trop jeune, comme par
exemple fumer, boire de l'alcool ou même avoir des relations
sexuelles. Si cela t'arrive, tu dois lui dire non et lui demander
d'arrêter. Personne n'a le droit de forcer une autre personne.
Parles-en immédiatement à un adulte de confiance.

Index

Manipulation photographique : Nick Wakeford